Het geheim van het leven,
de schoonheid en de kracht,
de vorm van de dingen,
hun kleur, hun licht, hun schaduwen,
al datgene zag ik.
Aanschouw het ook,
zolang het leven duurt.

Veertiende druk, 2022
Tekst en illustraties © 2013 Benji Davies
Vertaling © 2015 Edward van de Vendel en
uitgeverij Luitingh-Sijthoff bv, Amsterdam
Alle rechten voorbehouden
Oorspronkelijke titel *The Storm Whale*
Oorspronkelijk uitgegeven door
Simon & Schuster UK Ltd, Londen
Titelbelettering Benji Davies
Opmaak omslag en binnenwerk Baqup
ISBN 978 90 245 6948 9, NUR 273

www.lsamsterdam.nl
www.benjidavies.com

DE KLEINE WALVIS

Benji Davies

Vertaald door
Edward van de Vendel

UITGEVERIJ LUITINGH-SIJTHOFF

Boy woonde aan zee. Samen met zijn vader en zes katten.

's Morgens ging de vader van Boy al vroeg naar zijn vissersboot. Dan bleef hij de hele dag weg.

Hij kwam pas weer thuis als het donker was.

Op een nacht raasde er een storm rond hun huis.

In de ochtend ging Boy naar het strand om te kijken
wat er op het land achtergebleven was.

Toen hij langs het water liep
zag hij in de verte iets liggen.

Hij rende ernaartoe en kon zijn ogen niet geloven.

Er was een kleine walvis aangespoeld.

Boy vroeg zich af wat hij moest doen.

Hij wist dat het voor een walvis niet
goed is om op het droge te zijn.

Ik moet snel zijn, dacht hij.

Boy deed alles wat hij kon om te zorgen
dat de walvis zich thuis voelde.

Hij vertelde verhalen over het leven op
het eiland.

De walvis kon heel goed luisteren.

Het werd avond en het
begon donker te worden.

Boy was bang dat zijn vader boos zou
worden als hij de walvis ontdekte.

Op een of andere manier kon hij
de walvis de hele avond
geheimhouden.

Het lukte hem zelfs om stiekem wat
eten naar de walvis te brengen.

Maar hij wist dat het
niet lang kon duren.

De vader van Boy was niet boos.
Hij had het zo druk gehad dat hij niet merkte
dat Boy zich wel eens eenzaam voelde.

Hij zei dat ze de walvis terug naar de zee
moesten brengen. Daar hoorde hij thuis.

Boy wist dat dit het beste was, maar het was niet gemakkelijk om afscheid te nemen.

Hij was blij dat zijn vader erbij was.

Boy dacht nog vaak aan de walvis terug.

Hij hoopte dat hij ooit,
op een mooie dag…

… zijn vriend nog eens zou zien.